Avant-propos

Ce portfolio est un document recommandé par le Conseil de l'Europe. Il vous sert de passeport pour la maîtrise du français. Vous pouvez le présenter :
– quand vous vous inscrivez dans une école de langues, une université ou une école spécialisée (école de commerce, etc.) ;
– quand vous recherchez un emploi qui nécessite la connaissance d'une langue étrangère ;
– dans toute autre circonstance où vous devez montrer votre niveau de maîtrise du français.

Le portfolio de *ÉCHO B2* complète et enrichit celui des niveaux précédents de la méthode. Vous y trouverez :

1. La suite de votre biographie langagière commencée avec *ÉCHO A1*

Vous y noterez les études et les stages de français que vous avez faits, vos rencontres personnelles avec des francophones, les films francophones que vous avez vus, les livres ou les articles de journaux que vous avez lus, les chansons, etc.

2. Une partie « Compétences »

Pour chacune des quatre unités de *ÉCHO B2*, vous trouverez :

• **une liste des savoir-faire** travaillés dans l'unité. Pour chaque savoir-faire, vous noterez votre niveau de compétence :
+ si la compétence est acquise
0 si la compétence est en cours d'acquisition
– si vous n'avez aucune compétence dans ce savoir-faire

• **une grille de report des résultats** que vous avez obtenus **aux activités d'auto-évaluation** du livre élève (partie « Évaluez-vous » à la fin de chaque unité).
À la fin de chaque unité de *ÉCHO B2*, vous pourrez aussi faire le point sur votre apprentissage.
Il est normal que toutes les compétences répertoriées à la fin de chaque unité ne soient pas parfaitement acquises par tous les étudiants. La rapidité d'apprentissage dépend en effet de beaucoup de facteurs (votre origine, vos connaissances antérieures, etc.). À la fin de l'unité 2, il faudra donc refaire le point sur la liste des compétences de l'unité 1, et ainsi de suite à la fin de chaque unité.

3. Une partie « Êtes-vous au niveau B2 du Cadre européen ? »

ÉCHO B2 permet d'atteindre le niveau B2 du Cadre européen. Vous trouverez à la fin de ce livret un ensemble de tests oraux et écrits qui vous permettront de vérifier si vous avez bien ce niveau*.

4. Le passeport

Il reprend les compétences recommandées par le Cadre européen pour les niveaux B2 et C1.

* Les documents sonores de ces tests se trouvent à la fin du CD collectif. Leurs transcriptions et les corrigés des épreuves à la fin du livre du professeur.

▶ MES LANGUES

- **Ma langue maternelle** (mes langues maternelles) _____
- **La langue française** – Niveau atteint : A1 _____ A2 _____ B1 _____
- **Mes autres langues**

Indiquez vos compétences TB (très bien) – B (bien) – AB (assez bien) – Q (quelques mots)	parlée	comprise à l'oral	lue	écrite

▶ MON APPRENTISSAGE DU FRANÇAIS

Lieu Indiquez le pays, la région, l'école, le lieu de stage, le professeur particulier ou la personne avec qui vous avez appris	Durée	Type d'apprentissage Indiquez le nom du livre si vous vous en souvenez

MES RENCONTRES, MES EXPÉRIENCES EN FRANÇAIS

Pour chaque rubrique, notez dans la colonne de gauche ce que vous avez fait, lu, écouté et ce qui vous a particulièrement marqué.
Complétez la colonne de droite tout au long de votre apprentissage avec *ÉCHO B2*.

1. **Mes voyages dans les pays francophones**

2. **Les chaînes télé ou les émissions que je regarde**

3. **Les radios francophones que j'écoute**

4. Les journaux et les magazines que je lis

5. Les films francophones en VO (version originale) que j'ai vus

6. Les chansons francophones que je comprends ou que je connais

7. Les BD ou les livres que j'ai lus

8. J'ai aussi écouté et lu du français dans les circonstances suivantes (rencontres, conférences, etc.)

BILAN UNITÉ 1

• Notes obtenues aux évaluations
Auto-évaluation

compréhension de l'écrit	... / 25
compréhension de l'oral	... / 25
expression orale	... / 25
production écrite	... / 25
Total	**... / 100**

• Faites le point :
+ la compétence est acquise
0 la compétence est en cours d'acquisition
– la compétence n'est pas acquise

Écouter et parler

Compétences générales **Je peux me débrouiller dans les situations suivantes**	–	0	+
– entreprendre des études dans un pays francophone			
– faire des recherches documentaires dans des bibliothèques, sur Internet ou dans d'autres institutions francophones sur des sujets relevant de ma spécialité			
– suivre un cours ou un exposé en prenant des notes			

Lorsqu'on aborde les sujets suivants, je comprends, je peux participer activement à la conversation et donner mon opinion	–	0	+
– les études et les formations			
– l'éducation des enfants			
– la personnalité des gens			
– les façons d'apprendre			
– l'histoire d'un pays			
– la presse			
– Internet			
– les moyens d'information			
– les langues			

Je peux	–	0	+
– réagir à une information qui me paraît fausse ou douteuse			
– reformuler le contenu d'un texte informatif correspondant à mon domaine de compétences (articles de presse ou ouvrages de vulgarisation)			
– dégager les idées principales d'un texte			
– commenter ces idées en donnant des exemples ou en les mettant en relation avec d'autres idées			

Je peux raconter	–	O	+
– un parcours universitaire ou de formation			
– un fait divers			
– un moment de l'Histoire que je connais bien			
Je peux décrire			
– une école ou un centre de formation			

Lire

Je peux comprendre l'essentiel des informations quand je lis un des textes suivants	–	O	+
– un dossier formation			
– l'organisation d'une école ou d'un centre de formation			
– un article ou un ouvrage historique en saisissant la chronologie des faits et les idées essentielles			
– un article de presse d'informations générales extrait d'un quotidien national ou régional ou d'un magazine d'informations générales			

Écrire

Je peux rédiger	–	O	+
– des notes d'après un exposé oral			
– une synthèse de différents documents portant sur un sujet relevant de mes intérêts ou de mes études			
– le plan d'un exposé écrit ou oral sur un sujet relevant de mes intérêts. Je peux prévoir une introduction, différentes parties et une conclusion			
– une lettre ou un message à caractère administratif propre à un cursus d'études ou de formation			

Savoirs

Je connais	–	O	+
– l'organisation générale des études en France			
– le nom et la vocation de quelques bibliothèques en France			
– la forme et l'organisation des principaux écrits académiques (dissertation, commentaire de texte, synthèse de documents)			

BILAN UNITÉ 2

• Notes obtenues aux évaluations
Auto-évaluation

compréhension de l'écrit	... / 25
compréhension de l'oral	... / 25
expression orale	... / 25
production écrite	... / 25
Total	**... / 100**

• **Faites le point :**
+ la compétence est acquise
0 la compétence est en cours d'acquisition
– la compétence n'est pas acquise

Écouter et parler

Compétences générales **Dans les milieux dans lesquels j'évolue (étudiant, professionnel, médiatique, informel), je peux**	–	0	+
– comprendre un discours de vulgarisation scientifique			
– produire un discours de vulgarisation scientifique			
– expliquer les causes d'un phénomène			
– expliquer les conséquences d'un phénomène			
– imaginer des causes ou des conséquences selon un raisonnement par hypothèse et déduction			

Lorsqu'on aborde les sujets suivants, je comprends, je peux participer activement à la conversation et donner mon opinion	–	0	+
– les différences comportementales dans les cultures			
– les problèmes de comportements			
– les domaines surnaturels			
– le climat			
– le patrimoine			
– les sciences et la technologie			
– l'architecture et l'urbanisme			
– l'administration			
– les organisations sociales et politiques			

Je peux réagir	–	0	+
– à une explication à caractère scientifique en donnant mon opinion ou en donnant une autre explication			
– à un événement ou à une décision en exposant ses conséquences et ses risques			

Je peux raconter	–	0	+
– l'évolution d'un phénomène ou d'une chose appartenant aux thèmes répertoriés précédemment (construction et dégradation d'un monument ou d'un quartier, évolution du climat, etc.)			
– une succession de causes et d'effets dans ces mêmes domaines			
Je peux décrire			
– la personnalité d'un individu			
– une expérience scientifique			
– l'organisation d'une administration			
– un projet architectural ou d'urbanisme			

Lire

Je peux comprendre l'essentiel des informations quand je lis un des textes suivants	–	0	+
– un article de vulgarisation scientifique			
– un projet relatif à l'urbanisme			

Écrire

Je peux rédiger	–	0	+
– une lettre d'explications et de conseils à une personne qui me fait part de ses difficultés personnelles ou relationnelles			
– un document pour défendre un élément du patrimoine			
– la synthèse d'un article à caractère scientifique			
– la description d'un lieu touristique			
– un document expliquant les causes et les conséquences d'un problème d'écologie			
– un texte décrivant brièvement l'organisation sociale ou politique d'un pays que je connais			

Savoirs

Je connais	–	0	+
– le système de la Sécurité sociale en France			
– les systèmes d'aide aux personnes en difficulté			
– les structures qui ont pour vocation la protection du patrimoine			
– l'organisation politique de l'Union européenne			

BILAN UNITÉ 3

• Notes obtenues aux évaluations
Auto-évaluation

compréhension de l'écrit	... / 25
compréhension de l'oral	... / 25
expression orale	... / 25
production écrite	... / 25
Total	**... / 100**

• Faites le point :
+ la compétence est acquise
0 la compétence est en cours d'acquisition
− la compétence n'est pas acquise

Écouter et parler

Compétences générales Je peux	−	0	+
− dans un pays francophone, participer à des activités de loisir, y compris dans leur aspect social			
− tirer profit des œuvres culturelles francophones			

Lorsqu'on aborde les sujets suivants, je comprends, je peux participer activement à la conversation et donner mon opinion	−	0	+
− les loisirs			
− le cinéma			
− la littérature			
− les fictions diffusées à la télévision			
− le théâtre			
− les autres types de spectacles (danse, concert, etc.)			
− la mode			
− les restaurants, la cuisine, les vins			

Je peux réagir	−	0	+
− à un événement ou à une information en exprimant mes sentiments et mes émotions			
− à un spectacle ou à une œuvre culturelle en l'analysant et en la commentant			
− à une opinion formulée dans un domaine répertorié ci-dessus			

Je peux, en donnant mon opinion,	–	0	+
– décrire et expliquer une activité de détente ou une passion			
– raconter une fiction			
– faire un exposé sur la vie et l'œuvre d'une personnalité			
– donner des informations détaillées sur les éléments d'un film ou d'un autre spectacle (mise en scène, acteurs, interprétations)			
– décrire un restaurant			
– parler d'un plat, de sa composition			
– donner des informations sur la qualité d'un vin			

Lire

Je peux comprendre l'essentiel des informations quand je lis un des textes suivants	–	0	+
– article, site Internet, ouvrage de psychologie grand public			
– programme de spectacles			
– pages « Culture et spectacles » des quotidiens et des magazines			
– guide gastronomique ou pages spécialisées des magazines			

Écrire

Je peux rédiger	–	0	+
– dans un courrier, mes sentiments personnels à propos d'un événement heureux ou malheureux			
– le résumé d'une histoire (biographie, fiction, etc.)			
– une brève analyse d'un spectacle			
– un bref commentaire d'un poème ou d'une page littéraire			

Savoirs

Je connais	–	0	+
– quelques séries télévisées francophones			
– les principaux courants artistiques et littéraires de la Renaissance au surréalisme			
– quelques spectacles ou festivals de théâtre			
– quelques spécialités des terroirs français			

BILAN UNITÉ 4

• **Notes obtenues aux évaluations**
Auto-évaluation

compréhension de l'écrit ... / 25

compréhension de l'oral ... / 25

expression orale ... / 25

production écrite ... / 25

Total **... / 100**

• **Faites le point :**
+ la compétence est acquise
0 la compétence est en cours d'acquisition
– la compétence n'est pas acquise

Écouter et parler

Compétences générales **Je peux**	–	0	+
– m'impliquer dans la vie locale et nationale d'un pays francophone			
– défendre des intérêts personnels ou des causes collectives			

Lorsqu'on aborde les sujets suivants, je comprends, je peux participer activement à la conversation et donner mon opinion	–	0	+
– les classes sociales ou les groupes sociaux			
– l'immigration			
– les religions et la laïcité			
– la langue française dans le monde			
– la vie des entreprises et le développement économique			
– des questions de droit et de justice			
– la vie politique locale			
– la vie politique nationale et internationale			

Je peux	–	0	+
– commenter un article relatif à l'immigration et à la vie des communautés			
– débattre à propos d'une politique de coopération			
– argumenter la défense d'une cause			
– justifier ou critiquer une tendance de la société			
– critiquer ou justifier un projet à caractère politique			

Lire

Je peux comprendre l'essentiel des informations quand je lis un article, un tract, une lettre ouverte, un blog, un site Internet portant sur	–	0	+
– un aspect de la politique locale (transports, urbanisme, écoles, etc.)			
– un débat de société			
– une question de droit			
– un projet de loi sur un sujet relevant de mes compétences			

Écrire

Je peux rédiger	–	0	+
– une synthèse de documents portant sur un problème de société			
– un projet d'intérêt général à l'intention d'une autorité politique ou administrative			
– une lettre ouverte pour défendre une cause			
– le compte rendu d'une séance de réflexion sur un sujet me concernant			
– une opinion argumentée sur un fait de société ou un projet politique			

Savoirs

Je connais	–	0	+
– les grandes orientations de la Constitution française			
– l'histoire de l'immigration en France et la politique d'immigration			
– les religions pratiquées en France et le concept de laïcité			
– les événements principaux de l'histoire de la France			
– les composantes de la francophonie et quelques organisations francophones			
– les principaux partis politiques en France			
– les principaux syndicats			
– le système judiciaire en France			

▶ 🎧 ÉCOUTER

Test 1 - Réponse à un questionnaire de compréhension. Interview

1. Le journaliste interroge une personne à propos d'une manifestation. Laquelle ?

2. Où a lieu cette manifestation ?

3. Quand ?

4. S'agit-il d'une manifestation unique ?

5. Quels sont ses différents buts ?

6. Qui est invité ?

7. Le nom d'Alain Mabanckou est cité. De qui s'agit-il ? Avec quelles autres personnes est-il cité ?

8. En préparant la manifestation, quelles étaient les motivations des organisateurs français ?

9. Les personnalités invitées ont-elles les mêmes motivations ?

10. Présentez l'affiche ci-contre.

Test 2 - Réponse à un questionnaire de compréhension. Débat

Extrait d'un débat entre Sylvain Meudon, ingénieur au Centre d'études atomiques, et Clémentine Vatard de l'association « Sauvons la planète ».

Écoutez le débat en entier. Puis réécoutez l'intervention de Sylvain Meudon.

1. D'après Sylvain Meudon, quels sont les avantages de l'énergie nucléaire ?

2. Citez les différents groupes d'opinion qui s'expriment à propos de l'énergie nucléaire. Indiquez leurs motivations.

(1)

(2)

(3)

Réécoutez l'intervention de Clémentine Vatard.

3. Clémentine Vatard appartient-elle à un des groupes d'opinion cités par Sylvain Meudon ?

4. Quels points développe-t-elle dans son intervention ?

5. Pour chacun de ces points, notez les arguments de Clémentine Vatard.

LIRE

Test 3 – Réponse à un questionnaire de compréhension. Texte informatif concernant la France ou l'espace francophone

Interview par le magazine Marianne *du philosophe espagnol Fernando Savater, professeur à l'université de Madrid. Fernando Savater analyse le système français d'intégration des immigrés.*

Marianne : **Vue d'Espagne, la France a d'abord été un pays d'émigration : de nombreux Espagnols y sont venus travailler au début du XXᵉ siècle. Quelle mémoire reste-t-il de cette période et de cette relation particulière ?**

Fernando Savater : Je crois qu'il en reste plutôt de bons souvenirs, même si l'émigration est toujours une expérience douloureuse. Il y avait deux destinations principales pour les Espagnols cherchant du travail : l'Amérique ou la France. La différence de développement des deux côtés des Pyrénées n'était pas attractive seulement du point de vue financier, mais également en termes de connaissances. Même au plus bas niveau de qualification, les ouvriers agricoles revenaient avec des économies qui leur permettaient d'acheter un peu de terre ou un petit commerce, mais ils rapportaient aussi des savoir-faire intéressants, nouveaux, notamment dans le domaine de l'agriculture ainsi que dans celui du vin. La France était une référence : pour beaucoup de générations c'était l'Europe. Mon grand-père est allé travailler en France, mon père ensuite, et moi à mon tour ! C'était aussi une référence pour tous les milieux, les intellectuels y voyant de leur côté le monde des idées et de la littérature, mais aussi la patrie de la liberté politique et de la libération individuelle, notamment en ce qui concernait le statut de la femme. Même chez les travailleurs, l'expérience française devait être plutôt positive puisque ceux qui revenaient au pays incitaient les autres à y aller ! [...] Il n'y a pas que les persécutés du franquisme¹ qui se sont tournés vers la France ; beaucoup l'ont choisie pour

trouver des universités plus compétentes ou plus ouvertes qu'en Espagne. Pour plusieurs générations d'Espagnols – et j'en fais partie –, il était très important d'apprendre le français et de le lire ; cela nous ouvrait une porte sur autre chose. Il était habituel, dans beaucoup de milieux un peu cultivés, d'avoir une « mademoiselle », souvent une Française, qui nous donnait des cours particuliers de français. J'ai appris le français dans les albums de Tintin et Milou ! Et n'oublions pas que beaucoup de livres importants n'étaient ni disponibles ni traduits en espagnol jusque dans les années 1980. [...]

Marianne : **Au travers de ces relations bilatérales, comment perceviez-vous le rapport de la France avec ses immigrés ?**

Fernando Savater : Il y avait en France des immigrés très différents des immigrés provisoires qu'étaient les Espagnols, lesquels, pour la plupart, sont revenus en Espagne, des immigrés non européens, Algériens, Marocains, Asiatiques, qui s'installaient définitivement et qui, en plus, avaient une histoire particulière avec la France puisqu'ils étaient issus de ses anciennes colonies. Ce qui nous frappait, c'est que, malgré ces particularités, la France se distinguait des autres pays européens dans sa façon de considérer les nouveaux venus. C'est connu maintenant, on parle des « deux modèles européens d'intégration », l'un anglo-saxon, où les immigrés restent entre eux et sont respectés dans toutes leurs différences, juxtaposés les uns aux autres, et le modèle français républicain de l'assimilation, tout le monde devant aller à la même école pour apprendre les mêmes choses.

Marianne : Lequel de ces deux modèles avait la préférence des observateurs espagnols ?

Fernando Savater : Globalement, je crois que nous avons toujours eu un penchant pour le modèle français, et cela bien longtemps avant que le modèle anglo-saxon ne commence à avoir de sérieux problèmes ! Mais c'était un point de vue intuitif et extérieur parce qu'en Espagne nous n'étions alors pas vraiment concernés par cette question. Mais les milieux intellectuels ou politiques qui savaient ce qui se passait en France avaient tendance à penser que le modèle français était le plus rationnel. Ceux qui travaillaient en Allemagne ou aux Pays-Bas nous racontaient le statut séparé des Turcs ou des Indiens, et l'on ne comprenait d'ailleurs pas pourquoi des pays qui, comme l'Allemagne ou la Grande-Bretagne, n'osaient pas donner la citoyenneté à leurs immigrés dénonçaient l'intolérance du modèle français qui naturalisait beaucoup plus !

Marianne : La France est-elle restée fidèle à ce modèle ?

Fernando Savater : La gauche française s'est piégée, il y a vingt ans, avec le thème du droit à la différence qui s'est vite traduit par la différence des droits, laquelle est allée très loin chez vous. [...] Quand la tolérance devient de l'indifférence : faites ce que vous voulez dans votre coin, dans votre banlieue, cela ne me regarde pas. C'est contraire à l'idée de société qui a besoin d'un minimum d'égalité, laquelle n'est pas l'uniformité. [...] Il suffit de dire très fort que tout le monde doit respecter la loi. Toutes les lois. Mais il y a une différence entre les lois et les habitudes. La sieste, la cuisine, la musique, ce sont des habitudes, il n'y a pas d'obligation à les respecter *a priori*, cela viendra peut-être plus tard. Un nouvel arrivant a le droit d'avoir des habitudes différentes, mais pas des lois différentes : c'est cela que n'a pas bien compris la gauche française à un moment. De même, l'apprentissage de la langue est essentiel. On voit bien ici en Espagne l'importance de la langue pour le sentiment d'appartenance et d'intégration. La France, qui a la chance d'avoir une langue unique, a un peu oublié à un moment que c'était un vecteur essentiel d'appartenance, au point d'offrir des cours de langue maternelle aux enfants d'immigrés dans les écoles primaires. Nicolas Sarkozy a demandé que tous les nouveaux immigrés s'engagent à apprendre le français, et cela me semble une bonne chose. Une démocratie doit avoir une langue politique. La démocratie vit du débat public, il faut pour cela une langue que tout le monde puisse comprendre et que tout le monde puisse utiliser pour participer politiquement et converser avec l'administration. Libre ensuite à chacun d'utiliser dans sa vie quotidienne la langue, le dialecte ou le jargon de son choix. ∎

Marianne, 12/07/2008.

---

1. Régime totalitaire, antidémocratique et corporatif instauré en 1936 en Espagne par le général Franco et qui a duré jusqu'en 1975.

Lisez le texte ci-dessus et répondez aux questions suivantes.

1. Complétez l'introduction de l'interview avec quelques détails sur la biographie de Fernando Savater.

2. Faites la liste des causes de l'immigration espagnole en France.

3. Approuvez en les justifiant, nuancez ou corrigez les affirmations suivantes :

a. Au début du XXe siècle, la France était la seule destination des émigrés espagnols.

b. Les Espagnols trouvaient un double intérêt à venir travailler en France.

c. L'Espagne de la première moitié du XXe siècle était un pays peu ouvert sur l'Europe.

d. Les Espagnols immigrés s'installaient définitivement en France.

e. Les Espagnols émigraient en France avec le même projet que les émigrés des autres pays.

4. Quelle image avait la France auprès des Espagnols de la première moitié du XXe siècle ?

5. D'après Fernando Savater, qu'est-ce qui distingue le modèle français d'immigration de celui de certains autres pays ?

6. Comment a évolué ce modèle français d'immigration ?

7. D'après Fernando Savater, quelles doivent être les bases d'une politique d'immigration ?

8. Donnez un titre à l'article.

Test 4 - Réponse à un questionnaire de compréhension. Texte argumentatif

Lisez le texte de la page 21.

1. De quel phénomène est-il question ?

2. Cochez les bonnes cases. Justifiez votre choix.

a. Face à ce phénomène le journaliste

❑ informe

❑ donne ses propres opinions

❑ rapporte d'autres opinions

b. Ce phénomène est-il

❑ important dans tous les secteurs ?

❑ important dans certains secteurs ?

❑ peu important ?

3. Qu'est-ce qui rapproche un blogueur d'un journaliste ?

4. Qu'est-ce qui différencie un blogueur d'un journaliste ?

5. Les blogueurs sont-ils acceptés ou rejetés par les journalistes ?

6. Cet article permet-il d'approuver ou de désapprouver les affirmations suivantes :

a. Les blogueurs peuvent être à l'origine d'une information nouvelle.

b. Les blogueurs se sentent responsables des informations qu'ils mettent en circulation sur le **Web**.

c. Les personnes qui veulent influencer l'opinion respectent les blogueurs.

d. Les blogueurs ne sont que des amateurs.

e. On ne peut pas mettre tous les blogueurs dans le même sac.

7. Reformulez les phrases suivantes sans utiliser les mots en italique :

• Paragraphe 1

« Les blogueurs *tancent les grands de ce monde.* »

« Certains *affublent* les blogueurs du surnom de *journalistes en pyjama.* »

• Paragraphe 3

« Dans certains secteurs, les blogueurs jouent un rôle de *prescripteurs décisifs.* »

• Paragraphe 4

« Les institutions *ont appris à composer* avec ces nouveaux commentateurs de la vie publique. »

• Paragraphe 5

« À force de dire que tout le monde peut être journaliste, on dévalorise ce métier et *on occulte le fait que la bonne information a un coût.* »

http://www.lemonde.fr

Les blogs : info ou influence ?

Ils sortent des scoops, commentent l'actualité, tancent les grands de ce monde. Certains les appellent des « journalistes citoyens ». D'autres les affublent du surnom moins flatteur de « journalistes en pyjama ». Mais personne ne peut les ignorer. Les blogueurs et autres rédacteurs du Web se sont taillé une place au soleil dans le système de l'information. Les entreprises ont vite compris qu'elles ne pouvaient les ignorer.

« *Nous sommes obligés d'en tenir compte, ne serait-ce que pour éviter un buzz négatif sur le Web*, souligne Anne Shapiro-Niel, présidente de l'association des professionnels des relations presse et de la communication. *La difficulté, c'est que les règles ne sont pas les mêmes qu'avec les journalistes. Par exemple, nous ne sommes pas assurés d'obtenir un droit de réponse en cas d'erreur.* »

Dans certains secteurs, les blogueurs jouent un rôle de prescripteurs décisifs. C'est le cas bien sûr pour les jeux vidéo, l'informatique et le high-tech, mais aussi l'alimentation, la cuisine, la décoration, la médecine, la musique, les loisirs au sens large. Les entreprises ont recours à des agences spécialisées de veille sur les blogs. « *Les blogueurs compliquent la tâche des services de presse*, explique Ludovic Bajar, directeur associé de Human to human, l'une de ces agences. *Leur pratique est fondamentalement différente de celle des journalistes. Ils ne respectent pas les trois piliers du métier que sont la distanciation, l'objectivation et le recoupement des sources. Ils sont dans une subjectivité totale par rapport à leur sujet. Ils vivent leur activité comme une passion. Ils se racontent. Lorsqu'un blogueur arrive à une conférence de presse, la première chose qu'il fait est de se prendre en photo ou de se faire photographier…* »

Les institutions ont appris à composer avec ces nouveaux commentateurs de la vie publique. Pour la rencontre entre Barack Obama et Nicolas Sarkozy, en juillet 2008, l'Élysée avait accrédité une dizaine de blogueurs. « *Le critère de base reste la carte de presse*, précise Franck Louvrier, responsable de la communication à la présidence de la République. *Mais je suis pour ouvrir davantage nos portes aux blogueurs les plus influents. Ceux qui ont une légitimité dans leur métier et dont les blogs sont très fréquentés.* » L'Élysée a mis en place une cellule de veille des blogs, dirigée par Nicolas Princen. [...]

Éric Marquis, vice-président de la Commission de la carte d'identité des journalistes, est moins indulgent : « *À force de dire que tout le monde peut être journaliste, on dévalorise ce métier et on occulte le fait que la bonne information a un coût. Après tout, on ne parle pas de "chirurgien citoyen". Le terme de "citoyen" ne sert qu'à habiller une dévalorisation de l'information et une précarisation de la profession. Nous sommes déjà descendus très bas dans les critères d'attribution de la carte de presse, jusqu'à la moitié d'un smic pour les revenus tirés du journalisme.* » Pour ce syndicaliste SNJ, « *les termes du débat sont exactement les mêmes que dans les années 1930, lorsque Georges Bourdon a posé les bases du statut de journaliste. À l'époque il tenait un discours très dur, en affirmant qu'il fallait distinguer les professionnels des amateurs.* »

Pourtant, la plupart des blogueurs ne se considèrent pas comme journalistes. Leur pratique inclut même souvent une critique implicite de la presse. « *L'espace public numérique joue un rôle de complément, il est donc assez logique qu'il soit en réaction et en correction*, explique Nicolas Vanbremeersh, alias Versac, qui a tenu un blog politique de 2003 à 2008. *Moi-même, je n'ai pas de rapport professionnel à l'information. J'ai ma propre hiérarchisation. Le blog reste un plaisir et une activité annexe dans ma vie.* »

Xavier Ternisien, lemonde.fr, 07/03/2009.

ÉCRIRE

Test 5 – Prise de position personnelle argumentée

Choisissez l'un des sujets suivants :

1. Chaque quartier de votre ville est représenté par un comité qui est l'interlocuteur privilégié de la municipalité. Vous êtes membre actif du comité de votre quartier.
À l'intention de la municipalité vous avez des remarques à faire sur l'urbanisme, la propreté des rues, l'existence des jardins publics, les pistes cyclables, etc.
Vous rédigerez une lettre ouverte de 300 à 400 mots à l'intention de la municipalité dans laquelle vous exposerez vos remarques positives ou négatives.

2. Le directeur de l'entreprise dans laquelle vous travaillez a mis à la disposition de ses salariés une « boîte à idées » dans laquelle chacun peut, de manière anonyme, faire part de ses critiques, de ses suggestions ou de ses vœux.
Vous écrirez la lettre argumentée de 300 à 400 mots que vous avez l'intention de mettre dans cette boîte à idées.

 PARLER

Test 6 – Présentation et défense d'un point de vue

Vous présenterez l'article ci-dessous en le replaçant dans le débat sur la simplification de l'orthographe du français.
Vous présenterez vos arguments pour ou contre la simplification de l'orthographe du français et d'autres langues que vous connaissez. Vous exposerez vos idées en matière de tolérance sur les fautes de langue.
Vous pourrez vous appuyer sur vos connaissances en matière de linguistique et d'histoire de la langue française.

À l'époque de Richelieu, l'Académie française a commencé à mettre de l'ordre dans l'orthographe lexicale, qui, jusque-là, était laissée à la discrétion des imprimeurs. Elle s'y est appliquée au fil des éditions de son dictionnaire. Jusqu'en 1835. À ce moment-là, le processus s'est bloqué. Depuis, toute velléité de changement suscite l'indignation.
En 1990, j'ai participé à l'élaboration d'une série de rectifications lexicales modestes. Nous avons été très attentifs à ne pas toucher aux mots trop courants, pour ne pas déclencher une révolution. Résultat : cela modifiait un mot toutes les huit pages dans la *Recherche du temps perdu*. Malgré tout, cette réforme reste quasi inconnue. C'est dommage. À force de purisme, d'opposition acharnée à toute évolution, on nuit à la langue française. La majorité des adultes ont peur de la langue écrite, qu'ils ne maîtrisent pas. C'est un vrai drame social ! Quant aux étrangers, rebutés par la complexité de notre orthographe, ils préfèrent se tourner vers d'autres idiomes.
En simplifiant l'orthographe, on améliorerait l'image du français. Au moins pourrait-on donner un signe de bonne volonté en supprimant les sottises les plus évidentes. Comme ce fameux « événement » qui doit son deuxième accent aigu au fait qu'un imprimeur, en 1736, s'est trouvé à court d'accents graves…

« À force de purisme, on nuit à la langue française »

Charles Müller, linguiste, créateur du site Orthonet,
L'Express, 18/04/2005.

**EXTRAIT DU PASSEPORT DE LANGUES
GRILLE POUR L'AUTO-ÉVALUATION
CONSEIL DE L'EUROPE**

	B2	C1
COMPRENDRE		
Écouter	Je peux comprendre des conférences et des discours assez longs et même suivre une argumentation complexe si le sujet m'en est relativement familier. Je peux comprendre la plupart des émissions de télévision sur l'actualité et les informations. Je peux comprendre la plupart des films en langue standard.	Je peux comprendre un long discours même s'il n'est pas clairement structuré et que les articulations sont seulement implicites. Je peux comprendre les émissions de télévision et les films sans trop d'effort.
Lire	Je peux lire des articles et des rapports sur des questions contemporaines dans lesquels les auteurs adoptent une attitude particulière ou un certain point de vue. Je peux comprendre un texte littéraire contemporain en prose.	Je peux comprendre des textes factuels et littéraires longs et complexes et en apprécier les différences de style. Je peux comprendre des articles spécialisés et de longues instructions techniques même lorsqu'ils ne sont pas en relation avec mon domaine.
PARLER		
Prendre part à une conversation	Je peux communiquer avec un degré de spontanéité et d'aisance qui rende possible une interaction normale avec un locuteur natif. Je peux participer activement à une conversation dans des situations familières, présenter et défendre mes opinions.	Je peux m'exprimer spontanément et couramment sans trop apparemment devoir chercher mes mots. Je peux utiliser la langue de manière souple et efficace pour des relations sociales ou professionnelles. Je peux exprimer mes idées et opinions avec précision et lier mes interventions à celles de mes interlocuteurs.
S'exprimer oralement en continu	Je peux m'exprimer de façon claire et détaillée sur une grande gamme de sujets relatifs à mes centres d'intérêts. Je peux développer un point de vue sur un sujet d'actualité et expliquer les avantages et les inconvénients de différentes possibilités.	Je peux présenter des descriptions claires et détaillées de sujets complexes, en intégrant des thèmes qui leur sont liés, en développant certains points et en terminant mon intervention de façon appropriée.
ÉCRIRE		
	Je peux écrire des textes clairs et détaillés sur une grande gamme de sujets relatifs à mes intérêts. Je peux écrire un essai ou un rapport en transmettant une information ou en exposant des raisons pour ou contre une opinion donnée. Je peux écrire des lettres qui mettent en valeur le sens que j'attribue personnellement aux événements et aux expériences.	Je peux m'exprimer dans un texte clair, fluide et stylistiquement adapté aux circonstances. Je peux rédiger des lettres, rapports ou articles complexes, avec une construction claire permettant au lecteur d'en saisir et de mémoriser les points importants. Je peux résumer et critiquer par écrit un ouvrage professionnel ou une œuvre littéraire.

Direction éditoriale : Michèle Grandmangin-Vainseine
Édition : Christine Grall
Conception et réalisation : Adeline Calame

© CLE International/Sejer, Paris, 2010
ISBN : 978-2-09-038560-1